lekker thuis

DE 4 LEKKERE SEIZOENEN

van Piet Huysentruyt

Teksten: Piet Huysentruyt
Omslag en vormgeving: Dominic Van Heupen / Aksent
Fotografie: Jean Davister
Foodstyling: Frédérique Ballencourt
Lekker Thuis © VTM, 2001
Productie Lekker Thuis:
Capiau Projects – Christel Van Hemelrijck
VTM – Martijn Bal
Projectcoördinatie: VTM Merchandising – Marc Leemans

Belgiëlei 147a, 2018 Antwerpen
info@standaard.com
www.standaard.com

ISBN 90 02 20998 3
NUGI 421
D/2001/0034/145

lekker thuis

DE 4 LEKKERE SEIZOENEN *van*

PIET HUYSENTRUYT

Standaard Uitgeverij

Inhoud

Voorwoord

Wie had dit kunnen denken, toen ik vier jaar geleden begon met de *Lekker thuis*-uitzendingen? Ik, in mijn diepste binnenste wel, maar de werkelijkheid is nog altijd wat anders dan je diepste binnenste. Vijf bestsellers heb ik geschreven en bij deze ben ik bezig met nummer 6. *Lekker thuis 1, 2* en *3*, *De zuiderse keuken* en *Feestelijk koken*, het zijn, al zeg ik het zelf, kookboekjes om u tegen te zeggen en wie ze alle vijf heeft (de boekjes natuurlijk!) kan moeilijk zonder kookinspiratie vallen, ik denk dat bijna alles erin moet staan! Maar natuurlijk blijven we maar koken in *Lekker thuis*, met elke dag alweer een nieuw recept en ik moet toegeven, zo nu en dan eens een herhaling van de toppers. Ondertussen zitten we bijna aan aflevering 1000 en ik hoop dat de VTM-top mij die gunt. Misschien is het daarna tijd om te stoppen, wie weet? 1000 recepten is veel, 1000 uitzendingen is sterk, er zijn er niet veel in 't land die daarmee kunnen uitpakken, buiten Eddy De Mey en *Familie*! Ondertussen moeten alle recepten gebundeld worden en vond ik het een goed idee om de zesde uitgave '*De 4 lekkere seizoenen*' te noemen. Een uitgave met de laatste nieuwe recepten van *Lekker thuis* in vier seizoenen gegoten.

Ik wens jullie veel succes ermee!

Van harte

Piet Huysentruyt

Dit keer geen klassieke indeling van hapjes, voorgerecht, hoofdgerecht enzovoort, wel een indeling per seizoen. Ik start met de herfst, een lievelingsseizoen van me. De keuze om een bepaald gerecht bij een bepaald seizoen te zetten is soms moeilijk maar niet onoverkomelijk. Herfst betekent ook wild, champignons, kolen, stamppotten. Ik hoop dat je er veel plezier aan beleeft.

Herfst

Spiegelei met gestoofde sla

Toen we nog de VLAM, de Vlaamse Dienst voor Agromarketing, als sponsor hadden, betekende dat iedere maand weer een heksentoer om iets in hun richting te doen. Soms moest ik iets met aardappelen of vis of vlees of tomaten koken, maar met sla ben je wel gauw uitgepraat, temeer omdat ik van mijn kijkers geen konijnen wilde maken. Daarom heb ik de sla dan maar gestoofd en met een spiegelei geserveerd. Ideaal brunchideetje of aperitiefhapje... maar dat laatste dan wel met een kwartelei.

Voor 4 personen heb je nodig:

4 eieren
margarine of boter
4 reepjes spek
1 kropsla
1 teentje knoflook
2 eetlepels gehakt bieslook

1. Was de sla en stoof ze in margarine of boter met knoflook tot alle sappen verdwenen zijn.
2. Bak de spiegeleieren en leg het spek erbij.
3. Serveer de sla, daarop het ei en overstrooi met bieslook.

gemakkelijk
20 minuten
goedkoop

Wittekoolsla met kalkoengebraad

Kalkoengebraad en witte kool. Nu eens op een heel andere manier bereid. Laat je verleiden.

Voor 4 personen heb je nodig:
1/4 witte kool
4 vellen brickdeeg
400 g kalkoenvlees
4 eetlepels azijn
2 eetlepels honing
2 eetlepels ketchup
8 eetlepels zonnebloemolie
peper en zout

1. Snijd het vlees in stukjes en prik het op stokjes.
2. Doe ze in brickdeeg en frituur ze.
3. Snijd de kool zeer fijn en kruid met peper en zout. Leg ze op een bord met daarop de brochette.
4. Meng de azijn met de honing en ketchup en werk op met de olie. Giet over het vlees en de kool.

gemakkelijk
60 minuten
goedkoop

Pasteitje van konijn

Heerlijk in de herfst, dit pasteitje van konijn met savooikool!

Voor 4 personen heb je nodig:
4 konijnenfilets
2 dl konijnenjus
1/2 savooikool
4 sneetjes ham Duke of Flanders
4 vellen brickdeeg
margarine of boter
eigeel

1. Stoom vier grote bladeren savooi en spoel ze onder koud water.
2. Leg het brickdeeg open en schik er het savooiblad op. Daarop de ham en de konijnenfilet. Rol het op en kleef dicht met eigeel.
3. Snijd de rest van de kool in reepjes en stoof in margarine of boter. Blus met de jus en gebruik dit als garnituur en saus.
4. Bak de konijnenfilets aan alle kanten bruin.
5. Serveer een beetje kool met plakjes konijn en de saus.

gemakkelijk
40 minuten
matig duur

Stoverij met frieten en mayonaise

Een friet met stoofvlees. Heerlijk van de frituur. Maar misschien nóg lekkerder als je het zelf klaarmaakt! Hier mijn recept.

Voor 4 personen heb je nodig:
1 kg stoofvlees
4 eetlepels bloem
2 flesjes bruin bier (zoet)
1/2 l bruine fond
suiker
tijm en laurier
4 eetlepels balsamicoazijn
frietaardappelen
margarine of boter
1 ei
1 eetlepel mosterd
3/4 l olie
1 dl azijn

1. Bak het vlees aan alle kanten bruin in margarine of boter en bestrooi met bloem.
2. Blus met de bruine bieren, de fond, de azijn en voeg er tijm en laurier aan toe. Laat anderhalf tot twee uur gaar stoven op een zacht vuurtje.
3. Snijd en bak de frieten.
4. Meng ei, mosterd, azijn, olie en mix het geheel tot mayonaise.

gemakkelijk
90 minuten
goedkoop

Aardappelen met zure room

Ideaal ideetje voor een late barbecue op een herfstavond rond het haardvuur. Ideaal ook om te serveren bij een rosbief of côte à l'os. Ik zou in ieder geval niet nee zeggen!

Voor 4 personen heb je nodig:
8 aardappelen
4 eetlepels zure room
2 teentjes gehakte knoflook
2 eetlepels gehakte peterselie
grof zout

1. Plaats de aardappelen gewikkeld in aluminiumfolie in een oven van 180° tot ze gaar zijn.
2. Meng de zure room met de knoflook en de peterselie.
3. Snijd de aardappelen doormidden en serveer met de zure room en het zout.

gemakkelijk
50 minuten
goedkoop

Frituurballetjes met pindasaus

Overgewaaid uit Nederland, waar de Indische eetcultuur er wel heel diep ingebakken zit. De balletjes heb ik natuurlijk weer een beetje op mijn manier vervormd. In ieder geval, als je van wat pikant houdt, laat ze niet liggen.

Voor 4 personen heb je nodig:
4 vellen brickdeeg
400 g gehakt
2 eierdooiers
1 pakje pindasaus
koriander

1. Pak het gehakt in brickdeeg in balletjesvorm en kleef dicht met eigeel. Frituur de balletjes.
2. Maak de pindasaus.
3. Serveer de balletjes met de pindasaus en strooi er koriander over.

gemakkelijk
35 minuten
goedkoop

Roerei met wilde champignons

Hier zijn ze dan, de wilde champignons. Ze zijn overvloedig te vinden in een bosrijke omgeving tijdens de herfst. Wel oppassen natuurlijk dat er geen giftige champignons geplukt worden, informeer je dus altijd goed. Tegenwoordig zijn de wilde champignons overal in de winkels te verkrijgen, dus geen paniek.

Voor 4 personen heb je nodig:
300 g verschillende soorten wilde champignons
1 teentje knoflook
salie
2 eetlepels spekblokjes
10 eieren
1 dl room
margarine of boter
4 eetlepels hazelnootolie
pijpuitjes

1. Stoof de wilde champignons met de knoflook, het spek, salie en pijpuitjes.
2. Voeg de geklopte eieren toe met de room. Blijf roeren op een zacht vuurtje.
3. Serveer in een diep bord en giet de olie eroverheen.

gemakkelijk
30 minuten
matig duur

Prei in sojavinaigrette

'L'asperge des pauvres' zei men vroeger tegen de prei, een beetje een flauwe naam voor zo'n smakelijke groente. Enfin, 't zal wel met de vorm te maken hebben, en met het feit dat ze beide onder de grond groeien en natuurlijk dat de ene al wat duurder is dan de andere. Ideaal gerecht als je vegetariër bent, en als je dat niet bent, schik er een schijfje ganzenlever op. Dit is super!

Voor 4 personen heb je nodig:

12 kleine preistengels
margarine of boter
2 sjalotten
2 eetlepels sojasaus
2 eetlepels balsamicoazijn
2 eetlepels notenolie
4 eetlepels olijfolie
kervel

1. Stoom de preistengels gaar.
2. Bak ze aan in wat margarine of boter, samen met de gehakte sjalotten. Blus met sojasaus, balsamicoazijn, notenolie en olijfolie.
3. Serveer met de saus en garneer met kervel.

gemakkelijk
30 minuten
goedkoop

Filet van fazant met witloof en Gandaham

Niet iedereen wil een hele fazant kopen. Terecht. Tegenwoordig is er fazantenborst in de handel te verkrijgen. Handig als je alleen of met z'n tweeën bent. Speciaal daarvoor dit recept en ik ben zeker dat het je niet zal ontgoochelen.

Voor 4 personen heb je nodig:
4 filets van fazant
8 stronken witloof
4 schijfjes Gandaham
margarine of boter
8 eetlepels water
kervel

1. Kruid de fazantenborsten en rol ze op in de Gandaham.
2. Bak ze rustig aan in wat margarine of boter in een ruime pan.
3. Maak de blaadjes van het witloof los en voeg bij de fazanten. Laat alles zachtjes verder stoven en blus op het einde met het water.
4. Snijd de borsten in schijfjes en serveer met het witloof en jus en wat kervel.

gemakkelijk
45 minuten
duur

Fazant met ganzenlever

Natuurlijk kan de fazant in de herfst niet ontbreken. Toch heb ik het wat moeilijk met onze plaatselijke fazant: weinig smaak, opgefokt als kiekens en harteloos afgeschoten, terwijl het beestje zelf niet weet waarom het geleefd heeft, nooit de tijd gehad om larven op te pikken... om wild te worden. Dus kijk goed uit je doppen vooraleer je de fazant aankoopt. In ieder geval, als je dit recept maakt met een goeie fazant, kan de avond niet meer stuk.

Voor 4 personen heb je nodig:
1 fazanthaan
8 stronkjes witloof
margarine of boter
4 schijfjes ganzenleverpastei
2 dl water
tuinkers
2 eetlepels sherryazijn

1. Bak de fazant mooi bruin aan alle kanten in een ruime pan, voeg er de stronkjes witloof aan toe en laat lichtjes verder gaar stoven met deksel. Blus het geheel na 35 minuten met het water en de sherryazijn.
2. Laat nog 10 à 15 minuten verder gaar worden en zorg ervoor dat de jus lichtjes gebonden is.
3. Snijd de fazant in stukken en serveer met de stronkjes witloof en de ganzenlever. Oversaus het geheel met de jus.

iets moeilijker
60 minuten
duur

Fazantenhaan met notenolie en wilde champignons

Zonder fazanten zou 't geen herfst zijn. Dus nog een fazantenrecept, en ik kan je verzekeren: 't is 't laatste.

Voor 4 personen heb je nodig:
1 fazantenhaan
500 g wilde champignons
4 eetlepels notenolie
4 gehakte sjalotten
margarine of boter
2 eetlepels sojasaus
4 eetlepels water
2 eetlepels sherryazijn
tuinkers

1. Was de champignons en snijd ze in stukken.
2. Bak de fazant in een ruime pan aan alle kanten bruin. Voeg de champignons, de sjalotten, olie, sojasaus, water en sherryazijn toe en laat 1 uur gaar stoven met deksel op een zacht vuurtje.
3. Serveer met kroketjes en tuinkers.

iets moeilijker
45 minuten
duur

Hazenrug met port

Ha, die goeie hazenruggen, ik ben er in ieder geval verzot op, in feite is het nog het enige wild dat naar wild smaakt. Als ik er een koop, zeg ik altijd: 'Zie dat 'em goe naar den haas riekt'. Mijn poelier weet direct wat ik bedoel!

Voor 4 personen heb je nodig:
2 hazenruggen
veenbessen
wat suiker
2 Golden-appelen
1 dl port
2 dl bruine fond
120 g margarine of boter
2 eetlepels frambozenazijn
tuinkers

1. Bak de niet schoongemaakte ruggen mooi bruin aan in de margarine of boter en zet ze 10 minuten in een oven op 180°.
2. Blus daarna de pan met de port en de azijn en voeg de bruine fond toe. Laat inkoken en werk op met de rest van de margarine of boter.
3. Snijd de appelen in julienne en stoof ze aan in de margarine of boter. Voeg de veenbessen toe samen met wat suiker.
4. Haal het vlees van de ruggen en serveer met de saus en het appelmengsel. Garneer met tuinkers.

iets moeilijker
45 minuten
duur

Reegebraad met verse vijgen

Het reegebraad kun je vervangen door filet, wat natuurlijk duurder is. De kunst van wild goed te bereiden begint in feite al bij de aankoop. De kwaliteit van het wild moet uitmuntend zijn. En vooral niet marineren, want dan verlies je aan smaak. De vijgen kunnen niet alleen bij ree, maar ook bij hert, haas of everzwijn geserveerd worden.

Voor 4 personen heb je nodig:

1 gebraad van springbok
4 vijgen
100 g terrine van ganzenlever
8 jeneverbessen
1/2 l rode wijn + 4 eetlepels rode-wijnazijn
1/2 l bruine fond + 4 eetlepels suiker
tijm en laurier
margarine of boter
tuinkers

1. Bak de springbok aan alle kanten bruin en laat 30 minuten verder gaar stoven op een zacht vuur.
2. Laat het vlees rusten onder aluminiumfolie.
3. Blus de pan met de rode wijn, de wijnazijn, bruine fond, suiker en voeg de tijm, laurier en de jeneverbessen toe. Laat tot de helft inkoken tot een gebonden saus en zeef de saus.
4. Snijd de kop van de vijgen en haal het vruchtvlees eruit. Meng het met de blokjes ganzenlever en vul de vijgen terug op. Plaats de vijgen 10 minuten in een oven op 180°.
5. Serveer het vlees met de saus en de opgevulde vijgen en wat tuinkers.

iets moeilijker
60 minuten
duur

Filet van jong everzwijn met champignongebakje

Jaren aan een stuk werden varkensfilets in rode wijn gemarineerd en verkocht als 'marcassin filet'. Dus pas op bij de aankoop ervan. Ik kan je alleen meedelen dat er niets beters is dan een goed stukske marcassingebraad, als het maar 'natuurlijk' klaargemaakt is zonder veel gemarineer en gefoefel. Voor wie het nu nog niet moest weten, ik ben tegen marineren, wegens verlies van goeie smaken of het wegfoefelen van slechte geurtjes!

Voor 4 personen heb je nodig:

filet van jong everzwijn
4 vierkantjes bladerdeeg van 6 cm x 6 cm
wilde champignons
1 gehakte sjalot
1 gehakt teentje knoflook
2 eetlepels gehakte peterselie
2 eetlepels sherry
6 eetlepels water
margarine of boter
tuinkers

1. Bak de filet aan alle kanten bruin en bak 10 à 15 minuten verder met deksel op een zacht vuurtje.
2. Was de champignons en stoof ze aan in margarine of boter met de sjalot en de knoflook.
3. Bak het bladerdeeg 30 minuten op 180°.
4. Blus de filet met de sherry en het water. Serveer sneetjes vlees met de jus en tuinkers.
5. Vul het bladerdeeg met de champignons. Serveer bij het vlees.
6. Overstrooi met peterselie.

iets moeilijker
60 minuten
duur

Varkensniertjes met selderij, appel en mosterdsaus

Varkensniertjes!? Ze blijven wel eens liggen in de slagerstoog, jammer genoeg want ze zijn overheerlijk. Misschien komt het wel door vroeger toen de nieren eerder naar 'pipi' roken dan naar nier. Maar ik kan je verzekeren: die tijden zijn voorbij... Moderne slachthuizen, weet je wel!

Voor 4 personen heb je nodig:
6 varkensniertjes
1/4 knolselderij
1 Jonagold-appel
1 eetlepel graanmosterd
6 eetlepels water
120 g margarine of boter
bladpeterselie

1. Bak de niertjes aan in margarine of boter en voeg de knolselderij en de appel in blokjes toe.
2. Blus met het water en werk het geheel op met mosterd en margarine of boter. Garneer met peterselie.

gemakkelijk
30 minuten
goedkoop

Gebakken kalfslever met prei

Kalfslever! Als er een stuk rauw voor mijn vrouw haar neus ligt, eet ze het op. Niet dat iedereen dat moet doen, maar ik raad toch altijd aan kalfslever slechts rosé te bakken. Meer moet dat niet zijn!

Voor 4 personen heb je nodig:
400 g kalfslever
2 preistengels
1 eetlepel suiker
2 eetlepels frambozenazijn
4 eetlepels olijfolie
margarine of boter

1. Vraag de lever in plakjes gesneden en bak hem rosé in margarine of boter. Bak de lever aan beide kanten.
2. Snijd de prei in niet te dunne stukken en stoof aan in margarine of boter. Blus met de azijn en strooi er de suiker op. Voeg olie toe.
3. Serveer de lever op een bedje van prei met het sausje.

gemakkelijk
20 minuten
matig duur

Kalfszwezerikkroketten

Amai, amai, amai die 'soeselkroketten'. Meer commentaar kan ik er werkelijk niet op geven. Ik kan alleen maar zeggen: maak ze, serveer er een bearnaisemayonaise bij en vel je oordeel. 't Mijne is alvast dit: fan-tas-tisch.

Voor 4 personen heb je nodig:

60 g margarine of boter
100 g bloem
15 blaadjes gelatine
1/2 l melk
1 eierdooier
1 dl room
800 g kalfszwezerik
1/2 l kippenfond
4 eetlepels gehakte peterselie
wat citroensap

1. Maak een saus van margarine of boter en bloem.
2. Kook ondertussen de zwezeriken in de kippenfond.
3. Pel de zwezeriken en snijd ze in vierkantjes van 5 cm bij 5 cm. Paneer ze tweemaal en laat 1 uur rusten.
4. Frituur op 180° en serveer met citroen en gefrituurde peterselie.
5. Bevochtig de saus met melk en de kippenfond – laat goed binden. Voeg de geweekte gelatine eraan toe en laat opkoken. Klop het eigeel onder de room en voeg toe aan de saus.
6. Doe op het laatst de zwezeriken erbij en de peterselie. Breng op smaak met peper, zout en wat citroensap.
7. Stort het geheel in een vorm en laat een nacht opstijven in de ijskast.

moeilijk
180 minuten
duur

Frikadellen met ajuinsaus

Ik ben een fervent liefhebber en aanhanger van 'frietkot'-frieten en vroeger vergreep ik mij wel eens aan een 'frikadel special'. Je weet wel, met ajuin, mayonaise en ketchup. Wel, laat ons dit een chiquere versie noemen van een van mijn jeugdzondes en misschien ook wel een oorzaak van een paar van mijn kilo's te veel.

Voor 4 personen heb je nodig:

600 g gehakt
4 uien
4 vellen brickdeeg
margarine of boter
8 eetlepels ketchup
2 eetlepels witte-wijnazijn
2 eetlepels water
2 eetlepels gehakte peterselie
2 eierdooiers
aardappelen

1. Rol het gehakt in het brickdeeg en kleef dicht met eigeel. Frituur op 180°.
2. Stoof de uien aan in margarine of boter tot ze gaar zijn.
3. Blus met azijn en water en voeg de ketchup toe. Voeg de peterselie toe.
4. Serveer de frikadel met deze saus en een gekookte aardappel.

gemakkelijk
30 minuten
goedkoop

Kabeljauwkroketten

Toch nog een reepje vis tijdens deze herfst, een recept dat zeer makkelijk doenbaar is en toch de sympathie van je tafelgenoten zal opwekken. Zeker het proberen waard!

Voor 4 personen heb je nodig:
300 g kabeljauw
300 g aardappelpuree
1 ui
margarine of boter
1 eierdooier
1 eetlepel olie
1 ei
citroen
peterselie
broodkruim

1. Stoof de gehakte ui aan en voeg de kabeljauw toe in kleine stukjes.
2. Meng de puree, de eierdooier en de olie.
3. Rol kroketjes en paneer ze om te frituren. Frituur ook de peterselie.
4. Serveer de kroketjes met citroen en peterselie.

gemakkelijk
35 minuten
goedkoop

Tong met gebakken witloof en truffeltjes

De tong en het witloof mogen natuurlijk niet ontbreken in de herfst. Een gebakken tong is nog altijd de beste tong, zei een klant mij vroeger en ik kan hem geen ongelijk geven. Hier zou ik de tong en het witloof nog eens extra bestrooien met truffels.

Voor 4 personen heb je nodig:
4 tongen
8 stronken witloof
1 eetlepel suiker
3 eetlepels olijfolie
2 eetlepels truffelsap (facultatief)
1 eetlepel sherryazijn
margarine of boter
kervel

1. Bak de schoongemaakte tongen aan beide kanten aan in schuimende boter.
2. Snijd het witloof in grove stukken en bak ze aan in een hete pan met olijfolie en wat margarine of boter. Als het witloof bruin aangebakken is, blus dan met het truffelsap en de sherryazijn.
3. Serveer de tong met het witloof, de braadboter en wat kervel.

gemakkelijk
35 minuten
duur

Reuzentong met boterpreicoulis

En omdat gebakken tong nóg altijd de beste tong is, hier een gebakken reuzentong. Subliem met deze boterpreicoulis.

Voor 4 personen heb je nodig:
2 grote tongen
klontje margarine of boter
4 preistengels
4 eetlepels water
120 g margarine of boter
citroensap
kervel
bloem
peper en zout

1. Snijd de tongen in tweeën en bebloem ze. Bak ze tot ze gaar zijn.
2. Snijd het wit van de prei in ruitjes en stoof in margarine of boter. Stoom of kook het groen van de prei heel gaar en pureer in de keukenmachine.
3. Warm de preipuree op en breng op smaak.
4. Kook het water met wat citroensap en 120 g margarine of boter.
5. Serveer de tong met de prei en de saus en verdeel de preipuree in de saus.
6. Werk af met kervel.

gemakkelijk
40 minuten
duur

Appelen met honing

Na alle appeltaarten die ik al gemaakt heb, kan ik niet anders dan eens een ander appeldessert maken. Het contrast tussen de warme appel en het ijskoude grenadine-champagnemengsel is gewoonweg fenomenaal. Een aanrader.

Voor 4 personen heb je nodig:
4 Jonagold-appelen
2 eetlepels honing
8 eetlepels champagne
1 granaatappel
2 eetlepels grenadine
munt
margarine of boter
4 bolletjes ijs of sorbet

1. Snijd de appelen in halve maantjes en bak ze in margarine of boter.
2. Overgiet de appelen met de honing en schik ze in een diep bord.
3. Meng de ijskoude champagne met de grenadine en serveer met de appelen.
4. Garneer met munt en serveer met een bolletje ijs.

gemakkelijk
15 minuten
goedkoop

Soepje van clementines met chocolade

Ideaal als Sinterklaas geweest is en de clementientjes of mandarijntjes niet op te krijgen zijn, wat niet het geval zal zijn met de chocolade en de snoepjes! Dit soepje is het beste middel om de mandarijntjes dan toch op te krijgen.

Voor 4 personen heb je nodig:
8 clementines
4 eetlepels Grand Marnier
4 klontjes suiker
4 eetlepels water
100 g gesmolten chocolade
4 bolletjes vanille-ijs
wat margarine of boter

1. Pel de clementines en maak de partjes los.
2. Stoof ze aan in wat margarine of boter en voeg de suiker, het water en de Grand Marnier toe. Laat eens goed opkoken.
3. Serveer in een diep bord met het vanille-ijs en besprenkel met de gesmolten chocolade.

gemakkelijk
20 minuten
goedkoop

Perencrumble

Crumble is in feite afkomstig uit Groot-Brittannië, waar ze crumbles maken van alles en nog wat. En gelijk hebben ze, want dit is werkelijk de eenvoud zelve om te bereiden en de natuur zelve van smaak.

Voor 4 personen heb je nodig:
6 Doyenné-peren
150 g bloem
150 g suiker
100 g margarine of boter

1. Snijd de peren in stukjes van 1 cm bij 1cm.
2. Maak van de bloem, suiker en margarine of boter een kruimelig deeg.
3. Doe de peren in een ovenschotel en overstrooi met de kruimels.
4. Plaats de schotel ongeveer 20 tot 25 minuten in een oven op 180°.

gemakkelijk
35 minuten
goedkoop

Suikertaart met Conférenceperenmousse

Appelen, peren, mandarijnen, allemaal vruchten die de winter aankondigen. Daarom deze perenmoussetaart met suiker. Uiteraard kan de taart ook met bruine suiker gemaakt worden en de perenmousse door appelmousse vervangen worden. Mij mag je ze in ieder geval altijd en overal serveren.

Voor 4 personen heb je nodig:

1 vel bladerdeeg van 24 cm doorsnede
2 peren
2 eetlepels broyage
4 eieren
200 g bloemsuiker
1 eetlepel opgeklopte room
50 g margarine of boter

1. Stoof de peren tot mousse en voeg er op het laatst de broyage aan toe.
2. Bedek de bakvorm met het bladerdeeg en besmeer met de perenmousse.
3. Klop de eieren op met de bloemsuiker en meng er de geklopte room bij.
4. Stort het mengsel op de peren. Beleg met klontjes margarine of boter en bak op 180° gedurende 30 minuten.

gemakkelijk
60 minuten
goedkoop

Kokosbolletjes

In feite zijn dit een beetje een soort kokosbeignets. Ze kunnen warm of koud gegeten worden, en neem het van mij aan: als je van kokos houdt, zit je op de goede bladzijde.

Voor 4 personen heb je nodig:
200 g gemalen kokos
30 g bloem
2 eieren
150 g suiker
cornflakes
1 vanillestokje

1. Klop het eigeel op met de suiker en voeg de vanille toe. Doe de bloem en de kokos erbij.
2. Klop het eiwit op en voeg het bij het mengsel.
3. Verbrijzel de cornflakes tot poeder.
4. Maak bolletjes van het deeg en wentel ze in het cornflakespoeder.
5. Frituur de balletjes.

gemakkelijk
35 minuten
goedkoop

Pompoenbeignets

Nee, dit zijn geen Halloweenbeignets maar de pompoen op z'n best. Trouwens, een pompoen dient niet om voor de deur te liggen maar om op te eten, dus: met z'n allen naar de voordeur en zet de frituurpan maar op 180°.

Voor 4 personen heb je nodig:

300 g pompoen
kaneel
schil van 1 sinaasappel
schil van 1 citroen
poedersuiker
250 g bloem
2 eierdooiers
2 eiwitten
5 g poedersuiker
2 eetlepels suiker
4 dl melk
10 g gist
olijfolie

1. Snijd de pompoen in schijfjes van 2 mm en dan in driehoekjes.
2. Meng bloem, eierdooiers, suiker. Meng de lauwe melk met de gist en giet bij het beslag. Roer er een klein beetje olijfolie door.
3. Laat het deeg een uur rusten en voeg de schil van de citroen en de sinaasappel toe alsook het stijfgeklopte eiwit.
4. Bestrooi de pompoendriehoekjes met wat kaneel en bloemsuiker, dip ze in het deeg en frituur op 180°.
5. Laat uitlekken en bestrooi met poedersuiker.

gemakkelijk
40 minuten
goedkoop

Ha, die winter: warm vuurtje, lekkere stoofpotjes, worsten, kolen, varkenspootjes, sneeuw. Allemaal heerlijke dingen die mij doen watertanden. Ik hoop jou ook.

Winter

Wortelsaffraansoep

Kinderen en soep, 't is niet altijd gemakkelijk voor de mama's en de papa's. Wel, om deze wortelsoep (maar dan zonder de saffraan) wordt door mijn kinderen gevochten. Om maar te zeggen dat het kan, kinderen en soep.

Voor 4 personen heb je nodig:
10 wortelen
1 aardappel
1 ui
2 l kippenbouillon
1 sjalot
1 wit van prei
4 eetlepels opgeklopte room
wat saffraandraadjes
2 eetlepels gehakte peterselie
notenolie

1. Schil de wortelen en de aardappel. Snijd alle groenten fijn en stoof ze aan in wat notenolie.
2. Doe de kippenbouillon erbij en laat 45 minuten doorkoken.
3. Mix de soep en breng op smaak.
4. Serveer met de opgeklopte room en overstrooi met peterselie en saffraan.

gemakkelijk
60 minuten
goedkoop

Gebakken kaasje met witloof en honingsaus

Ooit zijn we hier gaan skiën in de Ardèche, op de Croix de Bouzon. Heerlijk was dat, 's middags aperitiefje, lekker slaatje erbij met een gepaneerde camembert. Om over de après-ski maar te zwijgen, op den duur gaven ze ons de flessen witte wijn gratis. Verder uitweiden overbodig, denk ik nu.

Voor 4 personen heb je nodig:

1 camembert
4 witloofstronkjes
1 Jonagold-appel
veldsla
1 eetlepel honing
margarine of boter
3 eetlepels olijfolie
2 eetlepels balsamicoazijn
1 eetlepel sesamzaad
4 eetlepels broodkruim
2 eierdooiers
gemengde sla
kervel

1. Paneer de stukken kaas met het broodkruim en het eigeel en bak ze in margarine of boter of frituur ze.
2. Snijd het witloof in stukjes en stoof het in margarine of boter samen met de fijngesneden appel.
3. Overgiet met de honing, olijfolie en balsamicoazijn en voeg veldsla en sesamzaad toe.
4. Serveer het kaasje op een bedje van het slamengsel.
5. Garneer met kervel.

gemakkelijk
30 minuten
goedkoop

Aardappelrösti met Breughel, knoflook en oesterzwam

Winter is skiën, dus kan ik er gewoonweg niet over zwijgen. Dit gerechtje is mij te binnen geschoten op 2500 meter hoogte op een terrasje in Oostenrijk, waar de gerechten in een pan aan tafel worden gebracht door ne 'billenkletser'. Je weet wel, zo'n Oostenrijker met een Lederhose. *Fantastisch was dat.*

Voor 4 personen heb je nodig:
4 aardappelen
150 g Breughelkaas
1 teentje knoflook
8 oesterzwammen
margarine of boter
2 eetlepels gehakte peterselie

1. Schil de aardappelen en rasp ze.
2. Snijd de kaas in blokjes, hak de knoflook en snijd de oesterzwammen in julienne.
3. Meng alles met de peterselie en bak het geheel in margarine of boter in een pan met antiaanbaklaag.

gemakkelijk
35 minuten
goedkoop

Wilde champignons in de wok

Wokken, wokken, wokken, ik denk dat dit mijn volgende titel van een boek wordt. Gewoonweg omdat iedereen erom vraagt. En als je mij dat vraagt, doe ik dat ook, want mijn kijkers (300.000 per dag) zijn mij heilig. Met dank.

Voor 4 personen heb je nodig:
champignons (shii-take, oesterzwammen, schapenvoetjes, cantharellen)
2 teentjes knoflook
1 preistengel
1 citroengras
1/2 gember
2 eetlepels notenolie
2 eetlepels sojasaus
2 eetlepels gehakte peterselie

1. Bak de gewassen champignons snel aan in de notenolie en voeg de in ringen gesneden prei eraan toe, alsook het fijngesneden citroengras en de gehakte gember.
2. Voeg op het laatst de sojasaus toe.
3. Serveer en overstrooi met peterselie.

gemakkelijk
20 minuten
matig duur

Scampi's Aruba

Aruba roept natuurlijk de zon op en toen we er waren met Gerty Christoffels was het natuurlijk al zon wat de klok sloeg! Maar vanille roept bij mij nog altijd het knusse van de winter op. Gezellige warmte van het haardvuur met vanillegeur uit de keuken, 't leven kan toch mooi zijn!

Voor 4 personen heb je nodig:
24 scampi's
1 vanillestokje
2 preistengels
2 eetlepels frambozenazijn
1 dl witte wijn
1 dl room
margarine of boter
dille
2 sjalotten

1. Bak de scampi's in margarine of boter.
2. Blus met de azijn en de wijn en voeg de room en de gehakte sjalot toe. Doe het vanillestokje erbij. Laat koken tot een gebonden saus.
3. Snijd de prei in ruitjes en stoof ze in margarine of boter.
4. Serveer de scampi's op de prei met de saus en strooi er wat dille overheen.

iets moeilijker
40 minuten
duur

Gegrilde varkenspoot met sjalotvinaigrette

Dit is mijn favoriete eten, doodsimpel, zo diep en lekker van smaak. Als ik dit op restaurant zie, dan begin ik al te kwijlen voor de poot op mijn bord ligt!

Voor 4 personen heb je nodig:

2 varkenspoten in tweeën gesneden
4 eetlepels broodkruim
1 eetlepel peterselie
1 gehakt teentje knoflook
1/2 selderij
tijm
laurier
1 preistengel
1 ui
1 wortel
2 sjalotten
2 eetlepels gehakte peterselie
2 eetlepels azijn
2 eetlepels mosterd
2 eetlepels water
12 eetlepels olie

1. Kook de varkenspoten gaar in een bouillon met de selderij, prei, wortel, ui, tijm en laurier.
2. Hak de sjalotten en maak een vinaigrette met de mosterd, peterselie, azijn, water en olie.
3. Mix het broodkruim met peterselie en knoflook.
4. Haal de gare varkenspoten uit de bouillon en laat uitlekken.
5. Overstrooi de varkenspoten met het broodkruim en gril ze.
6. Serveer met bruin brood en margarine of boter.

gemakkelijk
60 minuten
goedkoop

Ovenschotel met aardappelpuree en Noorzeegarnalen

Eigenlijk een 'Hachi-Parmentier'-versie van aan de kust, maar dan wel een hele goeie. Misschien ook een beetje vergeten, deze bereiding en bij deze hoop ik dat ze weer overvloedig op de Vlaamse tafels komt.

Voor 4 personen heb je nodig:
400 g garnalen
16 aardappelen
1/4 l melk
200 g margarine of boter
2 eieren
1 l melk en een beetje garnalenkopjes
50 g margarine of boter
80 g bloem
200 g gemalen kaas
1 citroen

1. Kook de aardappelen tot puree en voeg er 1/4 l melk, 200 g margarine of boter en 2 eieren aan toe.
2. Doe de puree in een ovenschotel en strooi de garnalen erover.
3. Maak een roux met de margarine of boter en de bloem. Laat de melk wat trekken met de garnaalkopjes en maak er een bechamelsaus mee. Breng op smaak met de helft van de kaas en wat citroen.
4. Overgiet het geheel met de saus en overstrooi met de rest van de kaas.
5. Plaats 15 minuten in de oven op 180°.

gemakkelijk
60 minuten
duur

Gehaktbroodje met Meesterlyckham en gebakken witloof

Om eens een ander broodje-gehakt te maken heb ik het gehakt in ham en bladerdeeg gewikkeld. Zo blijven alle smaken bijeen en hebben we echt de indruk dat het om een broodje gaat. Voor wie eens wat anders wil en het toch eenvoudig wil houden!

Voor 4 personen heb je nodig:
2 eetlepels gehakte peterselie
1 vel bladerdeeg van 20 cm x 20 cm
500 g gehakt
4 plakken ham
1 ei
1 eierdooier
8 stronkjes witloof
margarine of boter

1. Breng het gehakt op smaak met peper en zout en de peterselie en voeg er het ei aan toe.
2. Smeer het deeg aan de randen in met eigeel en leg de ham erop. Leg daar het gehakt op. Maak er een broodje van en bak het geheel 25 minuten op 180°.
3. Snijd het witloof en bak het in margarine of boter.
4. Serveer het broodje met een gekookt aardappeltje en het witloof.

gemakkelijk
60 minuten
goedkoop

Gepaneerde varkensribbetjes met tartaarsaus

Ribbetjes de zondagmiddag in 'den Trekzak' in Wortegem. Het was ons vast stamcafé, we hebben er menige middag plus avond gesleten want als je er 's middags rechtop binnenging, rolde je 's avonds weer den berg af. In elk geval, de ribbetjes zijn er heerlijk. Toch hier weer een ander ribbetjesrecept, al is het maar om eens koppig te doen.

Voor 4 personen heb je nodig:
2 stukken spareribs
20 eetlepels broodkruim
4 eetlepels mosterd
eigeel
2 eetlepels Provençaalse kruiden
8 eetlepels tartaarsaus

1. Snijd de spareribs tot ribbetjes, kruid ze en smeer ze in met mosterd.
2. Maal het broodkruim met de Provençaalse kruiden fijn.
3. Paneer de ribbetjes met het broodkruim en laat ze rusten.
4. Frituur ze en serveer met tartaarsaus.

gemakkelijk
60 minuten
goedkoop

Gekonfijt konijn op de wijze van Piet

Er zijn twee manieren om vlees superlekker gaar te laten worden: aan 't spit of konfijten in eendenvet. Allebei zijn ze zeer delicaat, je moet er wat ervaring in hebben. Dit konijn lijkt mij een goed begin!

Voor 4 personen heb je nodig:

4 konijnenbillen
1 kg grof zout
1 groot blik eendenvet
rozemarijn
marjolein
tijm
laurier
1 eetlepel gemengde peper
salie
kervel
1 teentje knoflook
2 eetlepels fijngehakte peterselie
aardappelen

1. Vermeng het zout en de kruiden en overdek er het konijnenvlees mee. Laat 8 uur rusten in de ijskast.
2. Was het vlees onder stromend water.
3. Laat het eendenvet opwarmen tot 70 à 80°. Dompel er de konijnenbillen in gedurende 3 à 4 uur en laat zeker niet warmer worden dan 70°. Het vlees moet van het been vallen.
4. Ontvlees de billen en verwarm op het laatst met de knoflook en de peterselie.
5. Serveer met gekookte aardappelen.

gemakkelijk
90 minuten
goedkoop

Rund in de wok

Wokken, ik heb het al gezegd, wordt de volgende titel van mijn nieuw boekje. Als ik tenminste verder mag doen van VTM, want zolang de geldmachine blijft draaien, ben je goed natuurlijk. Ik vraag mij af wat het wordt als het wat minder is! Bart Kaëlls verhaal is misschien niet veraf!

Voor 4 personen heb je nodig:
600 g rundvlees
6 eetlepels sojasaus
2 eetlepels balsamicoazijn
100 g sojascheuten
1 stuk prei
verse gember
sojaolie
koriander
curry
pijnboompitten
suiker

1. Snijd het vlees ik kleine stukjes of lapjes en overstrooi het met wat suiker, curry, sojasaus en azijn.
2. Bak het geheel op hoog vuur aan en voeg er de gehakte gember, stukjes prei, knoflook en sojascheuten aan toe.
3. Serveer en overstrooi met koriander en pijnboompitten.

gemakkelijk
20 minuten
goedkoop

Brussels spruitenpannetje

Als dit niet winters is. Laatst las ik dat een kweker een spruit had die groter was dan een savooikool. Gebruik die toch maar liever niet in dit spruitenpannetje, tenzij je het Guinessbook of Records *wilt halen met één grote spruitenpan op de Brusselse Grote Markt.*

Voor 4 personen heb je nodig:
500 g spruiten
500 g aardappelen
2 tomaten
2 eetlepels gehakte peterselie
400 g gehakt
1/2 l kippenbouillon
curry
100 g kippenlevertjes

1. Snijd de aardappelen in blokjes, pel en ontpit de tomaten en was de spruiten.
2. Voeg alles samen met de bouillon en wat curry en laat zachtjes sudderen.
3. Rol het gehakt in bolletjes en voeg die bij de bouillon. Voeg de kippenlevers eraan toe.
4. Laat alles gaar worden en werk af met peterselie.

gemakkelijk
50 minuten
goedkoop

Schartong met mosterdsausje en kappertjes

Als ik de 'toengskes' maak, moet ik altijd aan Arno denken, de Oostendenaar bij uitstek en op muzikaal vlak mijn jeugdherinnering bij uitstek. Want wie heeft er zich niet zotgedanst op die 'ohlalala, ohlalala'-tonen van TC Matic? Waar zijn die mooie tijden gebleven?

Voor 4 personen heb je nodig:
4 gefileerde schartongen
1 eetlepel mosterd
1 eetlepel kappertjes
1 eetlepel peterselie
2 preistengels
margarine of boter
1 dl witte wijn
1 dl groentesap
2 dl room
2 fijngehakte hardgekookte eieren

1. Vouw de filets in tweeën en bak ze mooi bruin in margarine of boter.
2. Laat witte wijn, bouillon en room inkoken tot een gebonden saus en voeg er de kappers, de eieren en de peterselie aan toe.
3. Snijd de prei in ringen en stoof in margarine of boter.
4. Serveer de tongen met de prei en de saus.

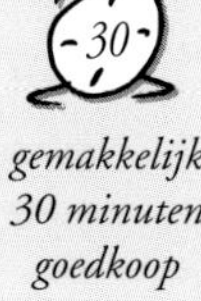

gemakkelijk
30 minuten
goedkoop

Hutsepot met varkensschenkel

Hutsepotten, ik denk dat ik er al zo'n dertigtal gemaakt heb in Lekker thuis, *temeer omdat ons Ilse er ook zot van is. Ik kan ook moeilijk oordelen van die of deze was de beste. Maar als je het nu op de man af vraagt, zeg ik toch: met varkensschenkel is het op zijn best!*

Voor 4 personen heb je nodig:

1 savooikool
3 wortelen
3 rapen
4 aardappelen
2 uien
20 spruiten
tijm
laurier
2 preistengels
1/4 knolselderij
4 worsten
1 varkensschenkel
1 stuk spek
margarine of boter

1. Snijd alle groenten en stoof ze in een ruime pan met veel margarine of boter.
2. Voeg tijm en laurier aan toe, het spek en de schenkel. Bevochtig met water en laat 90 minuten op een zacht vuurtje gaar worden met deksel.
3. Bak de worsten en serveer met de hutsepot, brood en mosterd.

gemakkelijk
120 minuten
goedkoop

Rob 'bouilli' Katastroof

Gerechtje dat ik heb van vriend 'Rob' Katastroof, je weet wel: 'zuipe, zuipe' en met 'de wijven niks als last'. Tijdens een rustige zomeravond overvloedig bevochtigd met vers druivensap uit de Ardèche, waar we alle twee zo verliefd op zijn, moest ik constateren dat hij een lekkerbek is. En van 't een kwam 't ander en werd dit gerechtje te berde gebracht. 'Ode aan Rob z'n moeder', zou ik zo zeggen.

Voor 4 personen heb je nodig:
600 g kookvlees
1 koffielepel curry
2 uien
margarine of boter
azijn
2 preistengels
4 aardappelen
platte peterselie

1. Laat de prei en de aardappelen samen gaar stoven tot een puree.
2. Snijd het kookvlees in blokjes en stoof met de ui aan tot alles gaar is.
3. Voeg de curry en de azijn toe.
4. Serveer de 'stoemp' met het vleesmengsel en garneer met platte peterselie.

gemakkelijk
120 minuten
goedkoop

Koolstoemp met worst

Weet één ding: als je Ilse ooit aan je tafel hebt dan serveer je deze koolstoemp met worst, een van haar lievelingsgerechten en ik kan het weten!

Voor 4 personen heb je nodig:
1 savooikool
6 aardappelen
4 eetlepel spekblokjes
8 eetlepel geraspte kaas
2 teentjes knoflook
4 worsten
margarine of boter
4 eetlepel water
1 ei

1. Zet de aardappelen en de savooikool op het vuur tot alles gaar is.
2. Giet af en pureer het geheel. Voeg het ei, het gebakken spek, de knoflook en de kaas toe.
3. Bak de worsten en blus met water.
4. Serveer de stamppot met de worst en wat saus.

gemakkelijk
40 minuten
goedkoop

Verloren brood met Jonagold en slagroom

Verloren brood ofte 'klakaars' in 't Kortrijks, dit is werkelijk een aanrader voor iedereen. Ik ben er in ieder geval verzot op. Wacht op het moment dat de slagroom over het brood smelt, denk dan vooral niet aan calorieën of cholesterol, maar verlekker je op de heerlijke smaak die je te wachten staat.

Voor 4 personen heb je nodig:
4 dikke sneden brood
2 Jonagold-appelen
bruine suiker
2 eierdooiers
2 dl melk
margarine of boter
2 eetlepels suiker
4 eetlepels opgeklopte room met bloemsuiker

1. Warm de melk en meng ze met de eierdooiers en de suiker.
2. Snijd het brood in rondjes en week ze in het melkmengsel. Bak ze bruin in margarine of boter.
3. Snijd intussen de appelen in blokjes en bak ze in margarine of boter. Voeg op het einde wat bruine suiker toe.
4. Schik de appelen op het gebakken brood in een ronde vorm en geef aan ieder een lepel slagroom.

gemakkelijk
25 minuten
goedkoop

Witloofcake

Ik geloofde mijn ogen niet toen ik dit recept tegenkwam in een oud kookboek. Ik die jaren aan een stuk groenten als dessert gaf in m'n restaurant en dat ik dit nog niet kende! Daarom geef ik het u door met veel plezier.

Voor 4 personen heb je nodig:
200 g fijngesneden witloof
200 g gemalen noten
7 eieren
300 g suiker
kaneel
50 g bloem
nootmuskaat
50 g paneermeel
amandelschilfers

1. Klop de eieren met de suiker tot een luchtig geheel.
2. Meng met het witloof, nootmuskaat, kaneel, noten en bloem. Schep het geheel in een beboterde vorm en bak 45 tot 50 minuten in een oven op 180°.
3. Bestuif met bloemsuiker en gebrande amandelschilfers.

gemakkelijk
60 minuten
goedkoop

Porridge met Drambuie en bruine suiker

Aan m'n Piet's Pan*-reis naar Schotland hou ik heel mooie herinneringen over. Vooral aan Carry, die mij heel veel heeft bijgebracht. En hopelijk is hij er culinair ook beter van geworden. In ieder geval, deze porridge is een overblijfsel van zijn Schots ontbijt!*

Voor 4 personen heb je nodig:
1 kop havermout
1 kop water
1 kop melk
4 eetlepels witte suiker
4 eetlepels Drambuie
4 eetlepels bruine suiker

1. Breng de havermout, het water, de witte suiker en de melk langzaam aan de kook tot een soort papje ontstaat.
2. Serveer het papje in een diep bord. Overgiet met de Drambuie en strooi er bruine suiker overheen.

gemakkelijk
10 minuten
goedkoop

Pannenkoeken met mispelpuree

Mispels zijn een vergeten vrucht. Ze moeten eigenlijk rot gegeten worden. Het verhaal doet de ronde dat een Brugs restaurant ooit zijn ster verloor omdat er rotte appels werden geserveerd. Schande voor die inspecteur natuurlijk, want hij wist niet eens wat mispels zijn. Eerst even je lesje leren voor je 'inspecteurke' gaat spelen, beste heren!

Voor 4 personen heb je nodig:
8 pannenkoeken
12 mispels
8 speculaaskoekjes
4 dl room
2 eierdooiers
4 eetlepels Drambuie
bruine suiker

1. Meng het vruchtvlees van de mispels met de speculaaskoekjes. Laat even trekken en besmeer de pannenkoeken met het mengsel. Vouw de pannenkoeken dicht en leg ze in een ovenschotel.
2. Klop de room halfstijf en meng met de eierdooiers en de Drambuie.
3. Giet over de pannenkoeken en doe er bruine suiker over. Plaats in de oven onder de grill.
4. Serveer wanneer de saus gegratineerd is.

gemakkelijk
50 minuten
goedkoop

Pruimen met kaneel en vanille-ijs

'Pruneaux d'afin' heb ik nooit gelust, nooit kwamen ze voor in mijn repertoire. Maar toen ik dit op had, was ik zowaar verkocht. De combinatie met sinaasappel, kaneel en port is werkelijk hemels en op de koop toe is dit wel een zeer eenvoudige bereiding. Een aanrader.

Voor 4 personen heb je nodig:
20 gedroogde pruimen
4 dl port
4 dl suikerstroop
1 sinaasappel
1 kaneelstok
1 takje tijm
1/2 blaadje laurier
vanille-ijs

1. Warm de port op met de suikerstroop en voeg er kaneel, tijm en laurier aan toe.
2. Snijd de sinaasappel in vieren en laat ze meekoken. Voeg op het laatst de pruimen toe en laat 10 minuten verder koken. Laat afkoelen.
3. Serveer voor elk een stuk sinaasappel met de pruimen, de saus en vanille-ijs.

gemakkelijk
25 minuten
goedkoop

Appelstrudel

De enige echte appelstrudel is te verkrijgen in Oostenrijk. Om u het moeilijke deeg te besparen, heb ik er een bereid met brickdeeg. Het is vooral makkelijk om te maken en wie weet misschien wel beter dan in Oostenrijk. Alhoewel met wat sneeuw en schnaps erbij...

Voor 4 personen heb je nodig:
2 Jonagold-appelen
2 eetlepels bruine suiker
4 eetlepels rozijnen
2 vellen brickdeeg
2 eierdooiers

1. Snijd de appelen in blokjes en stoof aan met de bruine suiker en de rozijnen.
2. Vorm een pakje met dit mengsel en een stukje brickdeeg.
3. Smeer het pakje in met eigeel.
4. Bak de strudel op 170°.
5. Serveer en strooi er wat bloemsuiker overheen.

gemakkelijk
45 minuten
goedkoop

Chocoladepudding

O, wat was ik blij vroeger toen ik thuiskwam en moeder had pudding gemaakt. Met onderaan petit-beurrekes erin, heerlijk was dat. Voor jullie heb ik een versie met frambozencoulis gemaakt – alhoewel, met de petit-beurrekes erbij is het voor mij nostalgie ten top.

Voor 4 personen heb je nodig:
6 dl melk
2 eetlepels cacaopoeder
5 eetlepels maïszetmeel
50 g suiker
frambozencoulis

1. Breng de melk aan de kook met de cacao en de suiker.
2. Los de maïzena op in een beetje melk en laat die meekoken in de cacaomelk.
3. Giet het geheel in een puddingvorm en laat een nacht afkoelen.
4. Serveer met de frambozencoulis.

gemakkelijk
45 minuten
goedkoop

De lente die eraan komt, betekent nieuw leven. Iedere vogel legt zijn ei, iedere plant krijgt bloemetjes en nieuwe vruchten. Lente brengt altijd een nieuwe wind in de keuken: nieuwe worteltjes, kleine raapjes, extrafijne boontjes, hopscheuten, spinaziescheutjes, asperges, kiewiteieren, kwarteleitjes. Alles wat we nodig hebben om die lange winter te vergeten en met verse moed de zomer tegemoet te gaan.

Lente

Asperges met peterselievinaigrette

In de lente kunnen we natuurlijk niet zonder asperges werken. We weten dat onze asperges nog altijd de beste zijn! Geloof dus nooit die Franse kookboeken die als gaartijd voor asperges soms 45 minuten aangeven. Onze Vlaamse asperge heeft veel minder tijd nodig om gaar te worden dan haar Franse zus, vandaar!

Voor 4 personen heb je nodig:
2 bundels asperges
1 bosje peterselie
3 eetlepels azijn
4 eetlepels olijfolie
4 eetlepels room
1 eierdooier
1 koffielepel mosterd

1. Schil de asperges en kook ze gaar.
2. Was de peterselie en frituur de helft.
3. Meng de andere helft peterselie met de azijn, de olie, de room, het eigeel en de mosterd.
4. Serveer de lauwe asperges met de vinaigrette en de gefrituurde peterselie.

gemakkelijk
30 minuten
duur

Brood tussen de grill

Ideaal ideetje voor een picknick, of om eens iets anders te eten dan onze welbekende croque-monsieur.

Voor 4 personen heb je nodig:
4 ovenbroodjes of melkbroodjes
8 sneetjes Passendale (chevagne)
1 tomaat
1/2 kropsla
4 plakjes Meesterlyckham
margarine of boter

1. Beboter de broodjes en beleg ze achtereenvolgens met chevagne, tomaat, sla en de ham.
2. Je kunt ze ook dubbel beleggen.
3. Gril de broodjes zachtjes.

gemakkelijk
25 minuten
goedkoop

Mozzarellahapjes

Ideaal aperitiefhapje. Let erop dat de rondjes goed aangedrukt en dicht zijn, anders gaat het hele geval zwemmen in de frituur want dat is wat mij overkwam op tv. Gelukkig heb ik dit mooi kunnen wegmoffelen.

Voor 4 personen heb je nodig:
8 plakjes mozzarella
16 sneetjes brood
margarine of boter
frituurolie
basilicumolie
kruiden

1. Smeer margarine of boter op de boterhammen en beleg ze met mozzarellaschijfjes. Strooi er wat kruiden over en bedek met het tweede sneetje brood.
2. Druk goed aan en snijd in driehoekjes.
3. Frituur de mozzarellahapjes 5 minuten en laat uitlekken.
4. Besprenkel met basilicumolie.

gemakkelijk
15 minuten
goedkoop

Pastastrikjes met dragonpesto

Pesto met basilicum zal iedereen wel kennen natuurlijk. Daarom vond ik het een goed idee om eens pesto te maken met een ander kruid en andere kaas. Het resultaat mag er zijn, ik zou bijna durven zeggen dat de Vlaamse pesto beter is dan de Italiaanse. Of ben ik dan te chauvinistisch?

Voor 4 personen heb je nodig:
1 bosje dragon
4 eetlepels pijnboompitten
8 teentjes knoflook
8 eetlepels Passendale in blokjes
400 g pastastrikjes
12 eetlepels olijfolie

1. Verwerk de dragon met de pijnboompitten, de knoflook, de kaas en de olijfolie in de keukenmachine tot een pestopasta.
2. Kook de strikjes, spoel ze onder koud water.
3. Warm de pasta op in wat extra olie en de pesto. Serveer.

gemakkelijk
30 minuten
goedkoop

Pasta met voorjaarsgroenten en belegen kaas

Daar zijn ze dan, de lekkere voorjaarsgroentjes, klein van gestalte maar een bom van smaak. En dat is het nu juist waar ik zo van hou, dat stukje natuur op je bord dat zo lentefris smaakt…'k zal maar stoppen want dit lijkt te veel op een reclamespot.

Voor 4 personen heb je nodig:

4 tomaten
2 snijbonen
1 stuk broccoli
1/4 bloemkool
1 preistengel
1 courgette
2 dl room
200 g pasta
verse tijm en rozemarijn
kervel
50 g belegen kaas
margarine of boter

1. Ontvel en ontpit de tomaten en snijd de broccoli en bloemkool in roosjes. Snijd de prei, courgette en snijbonen in ruitjes.
2. Stoof de bloemkool in margarine of boter.
3. Kook de pasta en spoel onder koud water.
4. Voeg room, tomaten en tijm aan de pasta toe en meng goed.
5. Serveer in een diep bord en beleg met de kaas. Garneer met kervel.

gemakkelijk
35 minuten
goedkoop

Lentegroenten 'Flandria' met mosterdvinaigrette

Met dit gerechtje schenk ik alle macht aan de vegetariërs, en dat zijn er tegenwoordig heel wat. Wel, hier krijgen jullie alles wat je hartje belieft. Maak alstublieft in grote hoeveelheden. Het loont de moeite!

Voor 4 personen heb je nodig:

8 jonge wortelen
8 jonge raapjes
8 jonge pijpuitjes
32 jonge peultjes
16 snijbonen
32 boontjes
2 tomaten
1 teentje knoflook
2 kleine courgettes
8 ijspegels
margarine of boter
1 eetlepel mosterd
1 eierdooier
2 eetlepels water
8 eetlepels arachideolie
2 eetlepels azijn
2 eetlepels fijngehakt basilicum

1. Was, schil en kook de groentjes. Spoel ze onder ijskoud water.
2. Meng alles voor de vinaigrette.
3. Warm de groentjes op met margarine of boter en giet de vinaigrette erover.

gemakkelijk
40 minuten
goedkoop

Lentetomatenslaatje

O, wat kan het toch allemaal eenvoudig zijn. Neem nu deze tomatensla. Alles wat je nodig hebt, heb je in huis en het vraagt misschien 10 minuten werk. Soms vraag ik mij af hoe het kan dat fastfood zo marcheert want de oplossing ligt hier en nu in mijn boekjes, makkelijker kan echt niet!

Voor 4 personen heb je nodig:

8 tomaten
8 pijpuitjes
2 mozzarellabolletjes
2 knoflookteentjes
2 eetlepels balsamicoazijn
6 eetlepels olijfolie
1 stokbrood
wat tapenade

1. Ontvel en ontpit de tomaten en snijd ze in blokjes. Was de pijpuitjes en snijd ze fijn. Snijd de mozzarella in blokjes. Hak 1 knoflookteentje. Meng alles met de azijn en de olijfolie. Doe alles op een bord.
2. Toast de sneetjes stokbrood en wrijf ze in met knoflook, besmeer met de tapenade en serveer de toasts met het slaatje.

gemakkelijk
10 minuten
goedkoop

Avocadobavarois met scampi's

Het is altijd een plezier om in de studio scampi's te maken want Geert, onze studiomeester, vreet ze werkelijk allemaal op. Hij is er gewoonweg tappezot van.

Voor 4 personen heb je nodig:

2 rijpe avocado's
1 dl groentefond
2 gelatineblaadjes
50 g margarine of boter
2 dl room
1 teentje knoflook
1 sjalot
2 eetlepels frambozenazijn
2 eetlepels hazelnootolie
4 eetlepels olijfolie
16 scampi's
wat citroensap
kervel

1. Pureer de avocado's.
2. Warm de fond op en voeg er gelatine en margarine of boter aan toe. Klop de room.
3. Meng de puree van avocado's met het fondmengsel en voeg er wat citroensap en de geklopte room aan toe. Stort in vormpjes en laat afkoelen.
4. Bak de scampi's in wat olijfolie, voeg de gehakte knoflook en sjalot toe. Blus met azijn en voeg de hazelnoot- en olijfolie toe.
5. Serveer het moesje met de scampi's en het sausje. Garneer met kervel.

gemakkelijk
90 minuten
duur

Varkenslapjes met gedroogde ham en kaas

In feite zou je dit een moderne cordon bleu kunnen noemen. Wat zeg ik, het is een moderne cordon bleu plus alweer een smaakexplosie van formaat. En iedereen weet natuurlijk dat ik een boontje heb voor onze Gandaham. Jan Hoet ook maar die gebruikt de ham voor wat anders. 't Was ook niet mis, moet ik zeggen!

Voor 4 personen heb je nodig:

4 varkenslapjes
4 plakjes Gandaham
4 sneden halfbelegen kaas
broodkruim
eigeel
rozemarijn
gebakken knoflookaardappeltjes

1. Kruid de varkenslapjes met rozemarijn en leg daarop de gedroogde ham en vervolgens de kaas. Vouw dicht en steek vast met een prikker.
2. Paneer de lapjes met het eigeel en het broodkruim en bak ze in lichtjes gebruinde boter aan beide kanten.
3. Serveer met de samen met knoflook gebakken aardappeltjes.

gemakkelijk
40 minuten
goedkoop

Varkensrolletjes met tomaat

Als je dit recept goed bestudeert, zie je het klassieke hamrolletje met asperges terug, maar dan ietsje beter en gesofistikeerder. Het tomatensausje erbij is werkelijk een aanrader. Wat pasta erbij, een wit wijntje, een terrasje – wat moet ne mens nog meer hebben?

Voor 4 personen heb je nodig:
4 varkenslapjes
4 plakken Meesterlyckham
8 tomaten
1 eetlepel gehakt basilicum
2 bundels asperges
olijfolie
margarine of boter
tuinkers

1. Schil en kook de asperges. Rol de asperges in de ham en in het varkenslapje.
2. Bak de rolletjes mooi aan in margarine of boter.
3. Snijd de tomaten en stoof ze in olijfolie. Voeg water toe tot ze onderstaan en laat inkoken tot een saus.
4. Doe het geheel door een zeef, kruid en werk af met basilicum.
5. Serveer de rolletjes met de saus en tuinkers.

gemakkelijk
40 minuten
goedkoop

Kalfslapjes met asperges

Het moet niet altijd de klassieke blanquette de veau zijn die we serveren. Midden in het aspergeseizoen zie ik die blanquette zo met asperges natuurlijk, heerlijk van smaak. Serveer er pasta of rijst bij en je brengt je tafelgenoten in de zevende hemel!

Voor 4 personen heb je nodig:
600 g kalfslapjes
margarine of boter
3 dl blanke fond
2 dl room
1 bundel groene asperges
1 bundel witte asperges
2 eetlepels gehakte dragon
1 eetlepel gewone azijn

1. Bak de kalfslapjes mooi bruin aan alle kanten. Blus met azijn en de blanke fond en laat een halfuurtje gaar worden met deksel.
2. Voeg de room toe.
3. Schil de asperges en snijd ze in stukken van 2 cm. Voeg ze toe aan het geheel.
4. Laat nog eens 15 minuten verder gaar stoven. Doe de dragon erbij en serveer met pasta.

gemakkelijk
35 minuten
duur

Varkenssaté

Saté is een echt frituurwoord. Ik wil de saté hier zo een beetje opwaarderen. In de zomer kun je de satés eventueel zonder brickdeeg op de barbecue gooien. De saus erbij blijft super en je kunt ze ook lekker pikant maken met wat extra cayenne.

Voor 4 personen heb je nodig:

600 g varkensvlees
4 vellen brickdeeg
1 eierdooier
gemengde sla
1 ui
1 teentje knoflook
1 eetlepel ketchup
1 eetlepel zoetzure saus
cayennepeper
1 eetlepel frambozenazijn
1 tomaat
1 paprika
2 eetlepels water
margarine of boter

1. Snijd het vlees in blokjes en prik het op stokjes. Kruid met wat cayenne.
2. Wikkel de vleesstokjes in brickdeeg en kleef dicht met het eigeel. Frituur ze.
3. Stoof de gehakte ui aan met knoflook, tomatenblokjes en paprikablokjes. Blus het geheel met water, de azijn en voeg de ketchup en de zoetzure saus toe.
4. Serveer de saté met de saus en gemengde sla.

gemakkelijk
30 minuten
goedkoop

Lamsbout met flan van groene boontjes

We kunnen moeilijk de lente door zonder lamsvlees natuurlijk. Tegenwoordig houdt iedereen toch wel van lamsvlees. Vroeger was er die indringende schapengeur omdat het lam meer schaap was dan lam. Tijden veranderen, gelukkig maar, want die indringende geur is nu verdwenen en zo kan iedereen van dit heerlijk stukje vlees genieten.

Voor 4 personen heb je nodig:

1 lamsbout
4 teentjes knoflook
12 eetlepels water
200 g boontjes
2 eieren
2 eierdooiers
1 dl room
1 dl melk
60 g spekblokjes
margarine of boter
kervel

1. Bak de lamsbout aan alle kanten bruin. Voeg de knoflook toe en laat 45 minuten bakken met deksel. Blus met het water.
2. Kook de boontjes supergaar en pureer ze. Meng de puree met de eieren, eigeel, room, melk en spekblokjes. Giet dit in ovenschaaltjes en bak 30 minuten af op 150°.
3. Serveer het lamsvlees met de flan en de saus. Garneer met kervel.

iets moeilijker
90 minuten
duur

Varkensvlees met kokos en curry in de wok

Hier zijn we alweer met woktoestanden, de eenvoudigste kookmethode die er bestaat. Je gooit bij wijze van spreken alles bij elkaar, wat roeren en 't is klaar. Bij deze gerechten heb ik zelfs een probleem op tv, namelijk dat het te vlug gaat en ik mijn 10 minuten niet vol krijg. Voilà, wat zeg je daarvan!

Voor 4 personen heb je nodig:
400 g varkensblokjes
1 bosje pijpuitjes
50 g sojascheuten
12 scampi's
1 eetlepel curry
1 eetlepel kokos
olijfolie
wat koriander
4 eetlepels oystersaus
24 peultjes
2 eetlepels balsamicoazijn

1. Meng de varkensblokjes en scampi's met de oystersaus, curry, kokos en balsamicoazijn.
2. Wok de blokjes samen met de scampi's en voeg er achtereenvolgens sojascheuten, pijpuitjes en peultjes aan toe.
3. Schep op een bord met de koriander.

gemakkelijk
20 minuten
goedkoop

Varkensribstuk met hopscheuten

Poperinge? Wat zegt het je? Waarschijnlijk niet veel. Wel, mij zegt het heel veel. Ik heb veel vrienden daar in de buurt, de Van Nielandts, de Gauquis (mijn vriend Wim zaliger) en zovele anderen, te veel om op te noemen. Maar natuurlijk zeg je ook hopscheuten als je Poperinge zegt. Hier een eenvoudige manier om die scheutjes op tafel te brengen! Pas op als je ze schoonmaakt, neem het topje niet voor de harde kant, de harde kant is het kontje!

Voor 4 personen heb je nodig:

varkensribstuk
margarine of boter
300 g hopscheuten
nootmuskaat
citroensap
2 dl room
2 eetlepels gehakte peterselie
1 dl witbier

1. Bak het vlees mooi bruin aan beide kanten en laat 10 minuten gaar stoven in de oven op 180°.
2. Haal de harde kant van de hopscheuten en stoof ze heel lichtjes aan in margarine of boter en voeg er een beetje citroensap bij.
3. Blus met het bier en de room.
4. Laat alles opkoken tot het gebonden is en voeg op het laatste moment wat nootmuskaat en peterselie toe.
5. Serveer het vlees met hopscheuten.

gemakkelijk
45 minuten
duur

Bamigoreng

Bamigoreng is zoiets dat langzaam maar zeker onze eetcultuur is binnengeslopen. Met recht en reden natuurlijk, want goed bereid is het heerlijk. Vandaar dit recept voor jullie!

Voor 4 personen heb je nodig:
250 g rijstnoedels
1 ui
2 teentjes knoflook
4 stengels witte selderij
300 g varkensvlees
200 g scampi's
3 eetlepels olie
2 eetlepels ketchup
2 hardgekookte eieren
zoetzure saus

1. Kook de rijstnoedels.
2. Wok de knoflook met de ui, selderij, varkenslapjes, scampi's in de olie en voeg de ketchup en de noedels eraan toe.
3. Serveer met zoetzure saus en overstrooi met de gehakte hardgekookte eieren.

gemakkelijk
30 minuten
goedkoop

Gentse waterzooi

Ik herinner mij nog de opmerkingen van de Gentenaars toen ik probeerde Gentse waterzooi op zijn Gents uit te spreken. Ik geef toe, ik zal het nooit kunnen, maar ik ben wel zeker dat in het West-Vlaams niemand van de Gentenaars het mij nadoet. Bij deze ook proficiat aan Gene Bervoets voor zijn programma, dat dezelfde naam draagt.

Voor 4 personen heb je nodig:

1 kip in stukken
4 sjalotten
4 wortelen
2 stukken prei
1 bleekselderij
1/4 knolselderij
tijm
laurier
2 eetlepels gehakte peterselie
1,5 l water
4 eierdooiers
1,5 dl room

1. Zet de kippenstukken op in het water en voeg er een na een de sjalotten, wortelen, prei, bleekselderij en knolselderij aan toe. Kruid met tijm en laurier.
2. Laat rustig gaar stoven gedurende 1 uur.
3. Meng de dooiers met de room en voeg dit mengsel op het einde toe om de waterzooi te binden.
4. Bestrooi met peterselie.

gemakkelijk
90 minuten
goedkoop

Hondshaai meunière

Vis van het jaar 2000 bij de VLAM, in feite bij ons in 't plat Vlaams zeepaling genoemd en ik vond het zo zalig om hem eens gewoon meunière te bakken. Eenvoud siert!

Voor 4 personen heb je nodig:
600 g hondshaai
1 citroen
200 g margarine of boter
bloem
2 eetlepels gehakte peterselie
enkele plukjes peterselie

1. Bebloem de hondshaai en bak hem in schuimende boter aan alle kanten bruin. Blus met het sap van 1 citroen en bestrooi met peterselie.
2. Frituur de gewassen en gedroogde plukjes peterselie.
3. Serveer de vis met de peterselie en een gekookte aardappel of een sneetje brood.

gemakkelijk
25 minuten
iets duurder

Kip Véronique

Welnee, Véronique is geen kip. Alle gerechten die 'Véronique' heten worden gewoon met druifjes gemaakt. Daarom vond ik het goed jullie ook dit recept te geven. Trouwens, iedereen plukt wel eens graag een druifje van Véronique!

Voor 4 personen heb je nodig:
4 kippenbouten
1 tros druiven
6 eetlepels water
margarine of boter
2 eetlepels balsamicoazijn
aardappelen
tuinkers

1. Snijd de kip in reepjes.
2. Ontpit de druiven.
3. Bak de kippenreepjes krokant in margarine of boter.
4. Blus met het water en de azijn en voeg de druiven toe. Werk het geheel op met 120 g margarine of boter.
5. Serveer met aardappelnestjes en tuinkers.

gemakkelijk
35 minuten
goedkoop

Parelhoen in de wok met limoen en honing

Bestseller in wording, deze parelhoen in de wok. De combinatie van limoen en honing is gewoonweg heerlijk. Een moderne en natuurlijke zoetzuur is het in feite, meer wil ik er echt niet over zeggen. Maken en proeven is de boodschap!

Voor 4 personen heb je nodig:
1 parelhoen
3 eetlepels honing
4 eetlepels limoensap
1/2 gember
2 bosjes pijpuitjes
1 teentje knoflook
wat sojascheuten
3 eetlepels hazelnootolie
koriander

1. Ontbeen de parelhoen en snijd het vlees in reepjes.
2. Bak het stevig aan in de wok met hazelnootolie. Voeg achtereenvolgens de gehakte gember, gehakte knoflook, sojascheuten en gesneden pijpuitjes toe.
3. Blus met limoensap en voeg de honing toe.
4. Serveer en bestrooi met koriander.

gemakkelijk
20 minuten
goedkoop

Rog met knoflook en peterselie

De rog met knoflook en peterselie is nog een overblijfsel van 'De Pan' met Hans Otten in Oostende. Dit is werkelijk de natuur in de pan en in 5 minuten is 't spel geregeld. We hadden zelfs nog de tijd voor een moptche. Waar zit de meeste vis, Hans? Weet je het nog? 'Tusschen de kop en de steert.' Hahahahaha!

Voor 4 personen heb je nodig:
2 grote roggen
4 teentjes knoflook
2 eetlepels gehakte peterselie
citroensap
margarine of boter
6 aardappelen
6 teentjes knoflook
1 ei
2 eetlepels knoflook en kruidenolie

1. Fileer de roggen en snijd ze in reepjes. Bak ze met veel knoflook en peterselie en voeg er wat citroensap aan toe.
2. Maak een puree met aardappelen en knoflook en voeg een ei en de olie toe.
3. Serveer de puree met de rog en garneer met platte peterselie.

gemakkelijk
30 minuten
niet duur

Mousse van Granny Smith met frambozenconfituur

Ideaal dessertje om op voorhand te maken, deze mousse. De Granny is trouwens met de Jonagold mijn favoriete appel. 't Is maar om te zeggen dat dit evengoed met een Jonagold had gekund, hoewel ik de Granny Smith meer lente in het bord vind!

Voor 4 personen heb je nodig:
4 Granny Smith-appelen
8 eetlepels frambozenconfituur
2 blaadjes gelatine
6 dl opgeklopte room
1 bakje frambozen
wat munt
150 g suiker

1. Snijd de Granny Smith in vieren en haal het klokhuis eruit. Pureer de Granny's met de schil in de keukenmachine.
2. Week de gelatine in koud water.
3. Neem 4 eetlepels puree van de Granny en warm die op met de gelatine en de suiker. Meng dit onder de rest van de puree en de geklopte room. Stort de mousse in potjes en laat 2 uur rusten in de ijskast.
4. Bedek met de confituur, de framboosjes en een takje munt. Serveer.

gemakkelijk
20 minuten
niet duur

Milkshake van roze pompelmoes met basilicum

Bij de eerste lentezon zal dit zeker smaken op je terrasje!

Voor 4 personen heb je nodig:
4 roze pompelmoezen
4 bolletjes vanille-ijs
4 dl melk
4 eetlepels suiker
12 blaadjes basilicum

1. Pers de pompelmoezen.
2. Meng het sap met het ijs, de melk, de suiker en het basilicum.
3. Mix het geheel tot een schuimende massa en serveer.

gemakkelijk
15 minuten
goedkoop

Mango in papillot met gember

Een dessert in papillot is het jezelf in feite zeer gemakkelijk maken, want je hoeft het op het laatst alleen maar in de oven te zetten en klaar is kees. Let erop dat de papillot goed gesloten is natuurlijk!

Voor 4 personen heb je nodig:
2 mango's
1 eetlepel gehakte gember
4 eetlepels witte wijn
2 eetlepels suiker
8 blaadjes munt
1 bakje frambozen

1. Schil de mango, snijd hem in tweeën en haal de pit eruit.
2. Neem een vel aluminiumfolie en leg de mango erop. Doe de gember, de suiker, de wijn, de munt en de frambozen erbij. Maak de papillot dicht en plaats 20 minuten in een oven van 180°.

gemakkelijk
35 minuten
goedkoop

Salade van kiwi en aardbei met sinaasappel en munt

De eerste aardbeien komen eraan op het einde van de lente. Om nu eens geen 'coupe fraise' te maken, dit slaatje, een aanrader van formaat, en dat kan tellen.

Voor 4 personen heb je nodig:
4 kiwi's
1 bakje aardbeien
1 dl likeur van aardbeien
4 sinaasappelen
4 eetlepels suiker
10 blaadjes munt

1. Snijd de kiwi's en de aardbeien in stukjes.
2. Meng de likeur met het sinaasappelsap en de suiker.
3. Serveer de kiwi's en de aardbeien in een diep bord, overgiet met de saus en bestrooi met de muntblaadjes.

gemakkelijk
15 minuten
goedkoop

De zomer: terrasjesweer, pastiskesweer, rozenweer, barbecuetijd, tomaat en basilicum, tapenade, olijven, enfin zee, zon en seks, dit is voor mij allemaal zomer en wat het bij de innerlijke mens oproept. Ik heb proberen een selectie van gerechten te maken die dit allemaal bij jullie wakker maakt, ik hoop dat het mij lukt.

Zomer

Slaatje van Parijse champignons

Ergens midden augustus opent de jacht op wilde eend. Daarom dacht ik dat dit een goed zomerslaatje zou zijn, hoewel wild de komende herfst aankondigt. Maar laten we dan misschien maar dromen van een warme nazomer.

Voor 4 personen heb je nodig:
6 walnoten
1 bakje Parijse champignons
1 wilde eend
4 eetlepels spekblokjes
2 eetlepels gehakte peterselie
1 sjalot
platte peterselie
4 eetlepels margarine of boter
2 eetlepels walnootolie
1 eetlepel mosterd
2 eetlepels witte-wijnazijn

1. Was de champignons en snijd ze in dunne plakjes.
2. Bak de eend.
3. Snijd de sjalot. Vermeng de sjalot met de champignons, het spek, de peterselie en de gehakte walnoten.
4. Meng de margarine of boter met azijn, mosterd en walnootolie.
5. Serveer het slaatje met de wilde eend en overgiet met de vinaigrette.
6. Werk af met platte peterselie.

gemakkelijk
15 minuten
goedkoop

Aardappel in de oven met knoflook en peterselie

Aardappelen in de oven, zul je zeggen, is dat zomer? Wel, ik zie het zo: als je deze aardappelen zo voorbereidt en dan serveert bij een zomers barbecuetje, dan zal het altijd prijs zijn!

Voor 4 personen heb je nodig:
8 aardappelen
200 g margarine of boter
2 teentjes knoflook
2 eetlepels gehakte peterselie
geraspte kaas

1. Zet de aardappelen in de oven op 160 à 180° tot ze supergaar zijn en laat afkoelen.
2. Haal de aardappelen uit. Vermeng met de margarine of boter, knoflook en peterselie. Vul de aardappelen terug op en overstrooi met kaas.
3. Zet 10 minuten in de oven op 180°.
4. Serveer bij vlees.

gemakkelijk
45 minuten
goedkoop

Kokkels met olijfoliemayonaise

Iedereen kent ze die zee-escargots aan de kaai in Oostende. Wat lauw geserveerd met mayonaise, heerlijk is dat. Wie ze niet lust, kan gewoon verse langoustines koken en lauw serveren. Misschien zelfs nog beter, in elk geval duurder, dat is zeker.

Voor 4 personen heb je nodig:
32 kokkels
bouillon: selderij, prei, ui, knoflook, peterselie
2 eetlepels mosterd
4 eetlepels azijn
2 dl arachideolie
2 dl olijfolie

1. Voeg ei, mosterd, azijn en olie samen en mix tot een mayonaise.
2. Kook de kokkels in de bouillon en serveer met de mayonaise.

gemakkelijk
10 minuten
goedkoop

Broodje met pesto

Ideaal bij het aperitief op een zuiders terras. Je kunt de broodjes ook toasten, serveren met de pesto en overstrooien met parmezaan… je droomt zo weg naar de Italiaanse Riviera of de Côte d'Azur.

Voor 4 personen heb je nodig:
1 stokbrood
1 bosje basilicum
knoflook
3 dl olijfolie (Italiaanse kruidenolie)
4 eetlepels pijnboompitten

1. Mix het basilicum met knoflook en olijfolie en pijnboompitten.
2. Snijd de sneetjes brood en serveer met de pesto.

gemakkelijk
10 minuten
goedkoop

Tomaat met mozzarella en basilicum

Als er iets is wat ons Véronique goed kan in de keuken dan is het deze heerlijke tomaat met mozzarella en basilicum. Maak dit gerechtje misschien wat op voorhand zodat alles goed kan marineren in olie, azijn en basilicum!

Voor 4 personen heb je nodig:
4 tomaten
2 pakjes mozzarella
basilicum
12 eetlepels olijfolie (basilicumolie)
4 eetlepels balsamicoazijn

1. Pel de tomaten en snijd ze in schijfjes. Snijd de mozzarella in plakjes.
2. Stapel de tomaat en de mozzarella en schik er de basilicumblaadjes tussen.
3. Giet er wat olijfolie over en de balsamicoazijn.

gemakkelijk
15 minuten
goedkoop

Zalmcarpaccio met honing-citroenvinaigrette

Zalm is zowat de kip onder de vissen geworden! Vroeger duur, nu goedkoop. Iedereen kan het altijd en overal kopen, maar er is één verschil met kip: verse zalm is altijd lekker gebleven, wat niet altijd gezegd kan worden van de kip. Rauw is zalm nog altijd verrukkelijk en als je dit vinaigretje erbij serveert, krijg je gegarandeerd applaus van de hele arena.

Voor 4 personen heb je nodig:
400 g rauwe zalm
2 eetlepels honing
1 eetlepel mosterd
2 eetlepels frambozenazijn
8 eetlepels margarine of boter
2 eetlepels limoensap
kervel
dille

1. Snijd de zalm in fijne plakjes en schik ze op een bord.
2. Meng de honing met de mosterd, de azijn, het limoensap en de margarine of boter en smeer dit uit over de zalm.
3. Strooi er kervel en dille overheen.

gemakkelijk
35 minuten
goedkoop

Courgetteroomsoep

Courgettesoep is in feite zo'n soep die je in de zomer ook koud kunt serveren. Met bijvoorbeeld wat garnaaltjes erin of wat rauwe zalm, aan u de keuze. Eén ding is zeker: superheerlijk zal ze zijn, en dan maar hopen dat het ook mooi weer is!

Voor 4 personen heb je nodig:
2 l kippenbouillon
1 aardappel
1 ui
4 teentjes knoflook
5 courgettes
2 dl room
4 eetlepels knoflookkruidenolie
kervel

1. Schil de aardappelen, pel de ui en de knoflook en stoof ze in olijfolie.
2. Snijd 4 courgettes in grote stukken en voeg ze bij de rest van de groenten. Doe de bouillon erbij.
3. Laat de soep een halfuurtje koken en mix ze nadien. Breng op smaak met peper en zout.
4. Snijd de overblijvende courgette in een zeer fijne brunoise.
5. Klop de room op.
6. Serveer de soep met een eetlepel room en strooi er de fijne brunoise en de kervel in. Schep in elk bord een lepel kruidenolie.

gemakkelijk
60 minuten
goedkoop

Kervelroomsoep

Kervelsoep, weer een soep waarmee je duizenden mogelijkheden hebt. Hier serveer ik ze met mozzarellatoastjes, maar je kunt er ook zalmtoastjes, pestotoastjes, tapenadetoastjes enzovoort bij geven.

Voor 4 personen heb je nodig:

1 ui
1 aardappel
1 preistengel
2 bosjes kervel
2 l kippenbouillon
margarine of boter
500 g spinazie
1 dl room
1 stokbrood
100 g mozzarella
4 eetlepels Provençaalse kruidenolie

1. Stoof de groenten in margarine of boter en houd wat kervel apart voor de afwerking.
2. Voeg de bouillon toe en laat 30 minuten koken. Mix de soep, breng op smaak en voeg de room toe.
3. Snijd het stokbrood en bedek met sneetjes mozzarella. Overgiet met de olie en toast het brood.
4. Serveer de soep met de toastjes en garneer met de kervel.

gemakkelijk
60 minuten
goedkoop

Tomaat-garnaal met frietjes

Tijdens de zomer mag onze klassieke tomaat met garnaal natuurlijk niet ontbreken. Dit zijn zo de dingen die je mist als je in Frankrijk woont, want goeie grijze garnalen hebben ze hier niet. Maar natuurlijk geef ik mij niet gewonnen, zo nu en dan breng ik een kilootje mee van België en dan is het hier feest natuurlijk: 'tomates crevettes à volontè'.

Voor 4 personen heb je nodig:

4 tomaten Baron
400 g garnalen
4 eetlepels mayonaise
2 eetlepels opgeklopte room
2 eetlepels gehakte peterselie
gemengde sla
4 hardgekookte eieren
wat citroensap

1. Pel de tomaten en haal ze uit.
2. Meng de garnalen met de mayonaise, opgeklopte room, peterselie en eventueel wat citroensap.
3. Vul de tomaten op.
4. Serveer met de gemengde sla, frietjes en de gekookte eieren.

gemakkelijk
60 minuten
duur

Varkensbrochette met choronsaus

Barbecues kunnen zo eentonig zijn met altijd dezelfde knoflookboter. Wel, ik zou hier durven zeggen: 'try this at home', een lekkere varkensbrochette, sappig gegrild met wat Provençaalse kruiden en dan zo'n aardappeltje in de oven erbij, rijkelijk overgoten met deze unieke choronsaus. Proficiat, je bent barbecuer van het jaar.

Voor 4 personen heb je nodig:

600 g varkensvlees
2 tomaten
2 eetlepels dragonazijn
2 eetlepels gehakte dragon
gemengde sla
3 eierdooiers
2 eetlepels water
300 g margarine of boter
1 koffielepel tomatenpuree

1. Snijd het vlees in blokjes en prik ze op een satéstokje. Bak de vleesstokjes in margarine of boter of gril ze op de barbecue.
2. Ontvel en ontpit de tomaten en snijd ze in blokjes.
3. Voeg de azijn en het water bij de eierdooiers en klop ze stijf op een zacht vuurtje. Klop er op het laatst de geklaarde boter door. Voeg de stukjes tomaat en de puree toe.
4. Serveer met de saus en de gemengde sla.

gemakkelijk
45 minuten
goedkoop

Américain met frietjes

Ook de américain met frietjes mag zeker niet ontbreken bij deze zomerse recepten. Ik alvast ben er verzot op – ik ben dan ook een roodvleeseter van het zuiverste ras!

Voor 4 personen heb je nodig:
600 g américain Meritus
2 eierdooiers
1 eetlepel mosterd
6 eetlepels arachideolie
2 eetlepels kappertjes
augurkjes
zure uitjes
gemengde sla
2 gehakte sjalotten
worchestershiresaus
1 eetlepel gehakte peterselie
aardappelen

1. Meng het eigeel met de mosterd en de olie en voeg de kappertjes, peterselie, worchestershiresaus en sjalotten eraan toe. Meng dit met het vlees.
2. Serveer met de sla en lekkere frietjes, de augurken en de uitjes.

gemakkelijk
45 minuten
duur

Spareribs met barbecuesaus

Spareribs met barbecuesaus is in feite een uitvinding van de Amerikanen. Misschien onderschatten we ze wel een beetje op eetgebied of overdrijf ik hier wat. Ik denk dat ik overdrijf.

Voor 4 personen heb je nodig:

3 uien
2 teentjes knoflook
4 eetlepels wijnazijn
basilicum
1 koffielepel mosterd
tijm
tabasco
sojasaus
100 g honing
4 eetlepels worchestershiresaus
2 kg spareribs
4 grote aardappelen

1. Stoof de gehakte ui met knoflook en meng de wijnazijn, mosterd, basilicum, tijm, tabasco en sojasaus.
2. Smeer de spareribs in met de saus en gril of bak ze.
3. Serveer de ribs met de saus en een grote aardappel in de oven en sla.

gemakkelijk
60 minuten
goedkoop

Reuzenbrochette met gemengde sla

Ik hoop maar één ding en dat is dat het deze zomer eens echt mooi weer wordt. Anders valt dit zomerhoofdstuk letterlijk en figuurlijk in het water met al die barbecuetips. Ik hoop ook dat de slagers goeie zaken doen door mijn zomerhoofdstuk.

Voor 4 personen heb je nodig:
600 g rundvlees
4 vellen brickdeeg
1 eierdooier
1 koffielepel Provençaalse kruiden
gemengde sla (rode krulsla, kropsla, radicchio, veldsla)
4 eetlepels mayonaise
1 eetlepel gehakte dragon
1 eetlepel dragonazijn
1 eetlepel ketchup
1 eetlepel opgeklopte room

1. Snijd het vlees ik blokjes. Haal het door de kruiden en prik het op spiesen.
2. Doe de spiesjes in het brickdeeg en kleef dicht met het eigeel. Frituur ze op 200°.
3. Meng de mayonaise met de dragon, de azijn, de ketchup en de geklopte room.
4. Serveer de vleesspies met de saus en de gemengde sla.

gemakkelijk
40 minuten
goedkoop

Mosselen met tarbot en witbier

Ooit heb ik dit gerechtje gecreëerd midden op een mosselbank. 't Is ne keer wat anders zo zonder de stress van een studio-opname maar met de stress van binnen het halfuur met je voeten in het water te staan. Natuurlijk had ik wel m'n 'botten' aan, moet wel als je tar'bot' bereidt natuurlijk – hebdem!

Voor 4 personen heb je nodig:
400 g mosselen
300 g tarbot of griet
1 koffielepel curry
1 glas witbier
room
1 bosje pijpuitjes
1 preistengel
lavas
spinazie
margarine of boter
knoflook

1. Stoof de mosselen in margarine of boter samen met de fijngesneden pijpuitjes, prei en knoflook en een beetje curry. Blus met het bier en voeg de room toe. Voeg de in schijfjes gesneden tarbot toe.
2. Laat 8 minuten doorkoken en voeg dan de spinazie toe.
3. Frituur de lavas.
4. Serveer het geheel en strooi er de lavas overheen.

gemakkelijk
45 minuten
duur

Aardbeienslaatje

In de zomer moet ik massa's aardbeien hebben, omdat ze: 1) zo lekker zijn en 2) zo eenvoudig te bereiden zijn en 3) ook gezond zijn en 4) van bij ons zijn. Dus doe zoals ik: 'Eet meer aardbei'.

Voor 4 personen heb je nodig:
2 bakjes aardbeien
2 eetlepels gehakte citroenmelisse
4 eetlepels witte wijn
2 eetlepels citroenjenever
2 eetlepels suiker
4 bolletjes ijs

1. Snijd de aardbeien in vieren en verdeel ze over vier diepe borden.
2. Meng de witte wijn met de citroenjenever en de suiker en giet dit over de aardbeien. Bestrooi met citroenmelisse.
3. Werk af met ijs en een takje citroenmelisse.

gemakkelijk
15 minuten
goedkoop

Aardbeienshake met basilicum en peper

De Romeinen serveerden al aardbeien met peper op hun grote feesten. Misschien had de peper toen al tot doel het feest te doen ontaarden in orgieën! Of is dit ietsje te ver gezocht?

Voor 4 personen heb je nodig:
1 bakje aardbeien
8 blaadjes basilicum
6 dl melk
4 eetlepels suiker
wat peper of 8 bolletjes groene peper

1. Was de aardbeien.
2. Voeg alles samen en mix. Serveer in een hoog glas.

gemakkelijk
15 minuten
goedkoop

Wafels met slagroom en aardbeien

Weet je het nog? Wafels van moeder, van een succes gesproken zeg, in geen enkele winkel of apotheek was er nog bicarbonaat te vinden. Daarom nogmaals dit recept, maar met aardbeien en slagroom – en daarna oogjes dicht en we zitten op de dijk in Blankenberge.

Voor 4 personen heb je nodig:

100 g margarine of boter
1 l karnemelk
1/2 kg bloem
3 eieren
3 eetlepels maïsolie
1/2 eetlepel bicarbonaat
1/2 l room
50 g bloemsuiker
1 bakje aardbeien

1. Smelt de margarine of boter en mix alles voor het deeg.
2. Bak de wafels in een wafelijzer.
3. Serveer de wafels met de aardbeien en de slagroom.

gemakkelijk
60 minuten
goedkoop

Chocoladekroketjes

Het klinkt misschien eigenaardig 'kroketjes van chocolade', maar ze zijn even verrassend lekker als lekker verrassend!

Voor 4 personen heb je nodig:
4 vellen brickdeeg
2 eierdooiers
4 repen chocolade
gember
1 eetlepel gehakte koriander
12 eetlepels water
4 eetlepels suiker
1 bakje frambozen
1 bakje aardbeien
1 bakje bosbessen
arachideolie

1. Meng de gember met water en suiker.
2. Maak met de chocolade en het brickdeeg voor ieder vijf kroketjes en kleef dicht met eigeel.
3. Bak de kroketjes in de olie.
4. Doe de rode vruchten in een diep bord. Giet er de gemberjus over en leg daarop de kroketjes. Garneer met de gehakte koriander.

gemakkelijk
45 minuten
goedkoop

Vandemoortele. Het *VERSCHIL* tussen PROEVEN en FIJNPROEVEN.

Register

A

B

C

D

E

F

G

H

I

K

S

T

U

V

W

Z